Zuckerkönig Glukorich

Postfach 40, 7201 Tuningen

Umschlaggestaltung, Layout,
Farbaufnahmen, Grafiken, Text:
G. A. Ulmer, Tuningen

ISBN 3-924191-55-7

Günter A. Ulmer

Zuckerkönig Glukorich

Die lebenswichtige Geschichte vom Zucker

Ein Umwelt-Kinder-und Jugendbuch
zur Erhaltung der Gesundheit

Günter Albert Ulmer Verlag, 7201 Tuningen

INHALTSVERZEICHNIS

An einem wunderschönen Frühlingstag 7

Matthias bei seinem Großvater 11

Die Geschichte vom Zuckerkönig Glukorich 16

Die kalten Wunderküchen des Zuckerkönigs Glukorich . . 21

Zuckerkönig Glukorich als perfekter
Umwandlungskünstler 25

Zuckerfabriken fabrizieren ihren eigenen Zucker 29

Die Gesundheitsräuber am Werk 33

Der Aufruf des Zuckerkönigs Glukorich 40

Julia und Matthias haben verstanden 45

An einem wunderschönen Frühlingstag . . .

Julia und Matthias sind gute Freunde. Sie wohnen beide in einem Dorf, das in einer Landschaft liegt, in der der Winter sehr lange dauert. So freuen sie sich immer nach den Wintermonaten auf das Erwachen der Natur; und nun dürfen sie es wieder erleben.

Es ist ein wunderschöner Frühlingstag. Überall blühen unzählige bunte Blumen; besonders die Narzissen mit ihrem intensiven Gelb leuchten zwischen dem frischen Grün hervor. Die Vögel zwitschern ihre heiteren Melodien und der blaue Himmel, an dem einige weiße Wölkchen hängen, umrahmt dieses farbenfrohe Bild der Frühlingsstimmung. Julia und Matthias sitzen auf einer Bank; sie lassen sich den Frühlingswind durch die Haare wehen und lassen sich von der Sonne wärmen.

Matthias zieht einen Apfel aus seiner Tasche und beißt mit großem Genuß hinein. Er bietet auch Julia einen Apfel an, doch sie lehnt ab; sie ißt lieber Schokolade, der Apfel ist ihr nicht süß genug.

Matthias denkt bei dieser Gelegenheit an seinen Großvater, der Schäfer ist. Sein Großvater weiß sehr viel über die Natur und die Kräuter zu berichten und kennt ihre besonderen Geheimnisse. Er hat ihm auch einmal eine interessante Geschichte vom Zuckerkönig Glukorich erzählt, die Matthias aber leider wieder vergessen hat. Er erinnert sich jedoch, daß sein Großvater ihm dabei gesagt hat, im Obst und besonders im Apfel habe der Zuckerkönig vieles vereinigt an Vitaminen und Mineralstoffen, die für die Gesundheit der Menschen äußerst wichtig sind.

Nun versucht Matthias, dies auch Julia zu erklären.
„Was heißt hier gesund“, wirft Julia ein, „gut ist, was gut schmeckt.“
„Nein, Julia“, entgegnet Matthias, „mein Großvater sagt immer: Nicht alles, was dir schmeckt im Mund, ist für den Körper auch gesund.“

„Ach, du mit deiner Gesundheit“, kontert Julia, „was heißt das überhaupt, Vitamine, was ist denn das? Ich weiß nur, daß in Vitamine das Wort ‚Vita‘ steckt und daß dies Leben bedeutet.“
„Ja, da hast du recht. Soviel ich weiß, sind Vitamine ganz besondere Wirkstoffe, die bei der Umwandlung der Nahrung während der Verdauung im Körper eine ganz wichtige Rolle spielen. Man nennt sie deshalb Lebensstoffe oder Vitalstoffe. Wenn solche Stoffe fehlen, kann man krank werden“, erklärt Matthias.
„Wenn ich das schon höre, immer Vita . . . Vita . . .Vita . . ., damit will ich mich jetzt nicht beschäftigen“, ruft Julia heftig aus.
„Aber eines will ich dir doch noch sagen, Julia: wenn man so nach Süßem Verlangen hat wie du, dann hat man sicher Vitaminmangel“, bemerkt Matthias fast ein wenig belehrend.

„Laß mich endlich in Ruhe mit deinem Vitaminmangel“, äußert Julia sich abweisend, dreht ihm den Rücken zu und verschwindet.

Matthias sinnt über das eben geführte Gespräch nach und möchte alles doch genauer wissen. Er entschließt sich, seinen Großvater zu besuchen, um ihn zu fragen, wie sich das mit dem Zucker verhält; wo der Zucker eigentlich herkommt und wie er entsteht. Er ist sehr neugierig. Er will seinen Großvater bitten, daß er ihm ausführlich die Geschichte vom Zuckerkönig Glukorich erzählt. Unbedingt fragen will er ihn auch, warum sein Apfel nicht so süß ist wie die Schokolade, und warum die Schokolade nicht so gesund sein soll wie sein Apfel. Das will er jetzt wissen.

Matthias bei seinem Großvater

Der alte Schäfer stützt sich auf seinen Hirtenstab. Neben ihm steht sein Hund, und beide schauen über die große Herde der Schafe. Es ist ein hügeliges Land und der Blick geht bis zu den Bergen, die dem ganzen Bild den Rahmen geben. Alles atmet hier Frische und Frieden. Da sieht der alte Schäfer einen Jungen auf dem Weg. Beim Näherkommen erkennt er Matthias und überlegt, was ihn wohl zu ihm führen könnte.

Nach einer herzlichen Begrüßung erklärt Matthias seinem Großvater, daß er gerne von ihm wissen möchte, wie sich das mit den Vitaminen verhält. Er möchte von ihm ausführlich noch einmal die interessante Geschichte vom Zuckerkönig Glukorich hören. Matthias will sie dann auch Julia berichten. Er hat großes Vertrauen in seinen Großvater, weil er weiß, daß dieser als Schäfer mit der Natur sehr verbunden ist und wohl am besten die Einzelheiten der Natur kennen kann; er ist ja durch sein Hirtenamt unmittelbar von der Natur umgeben.

„Ja, Matthias", unterbricht der alte Schäfer die Gedankenpause, „mit den Vitaminen ist das so eine Sache. Wie soll ich dir das jetzt erklären?
Die Vitamine spielen bei der Verdauung der Nahrung in deinem Körper eine wichtige Rolle. So wie du die Nahrung ißt, kann dein Körper sie nicht direkt verarbeiten, denn das Blut kann nur Stoffe aufnehmen, die wasserlöslich und für den Körper aufbereitet sind. Die Nährstoffe müssen also durch die Verdauung

Der Stoffwechsel

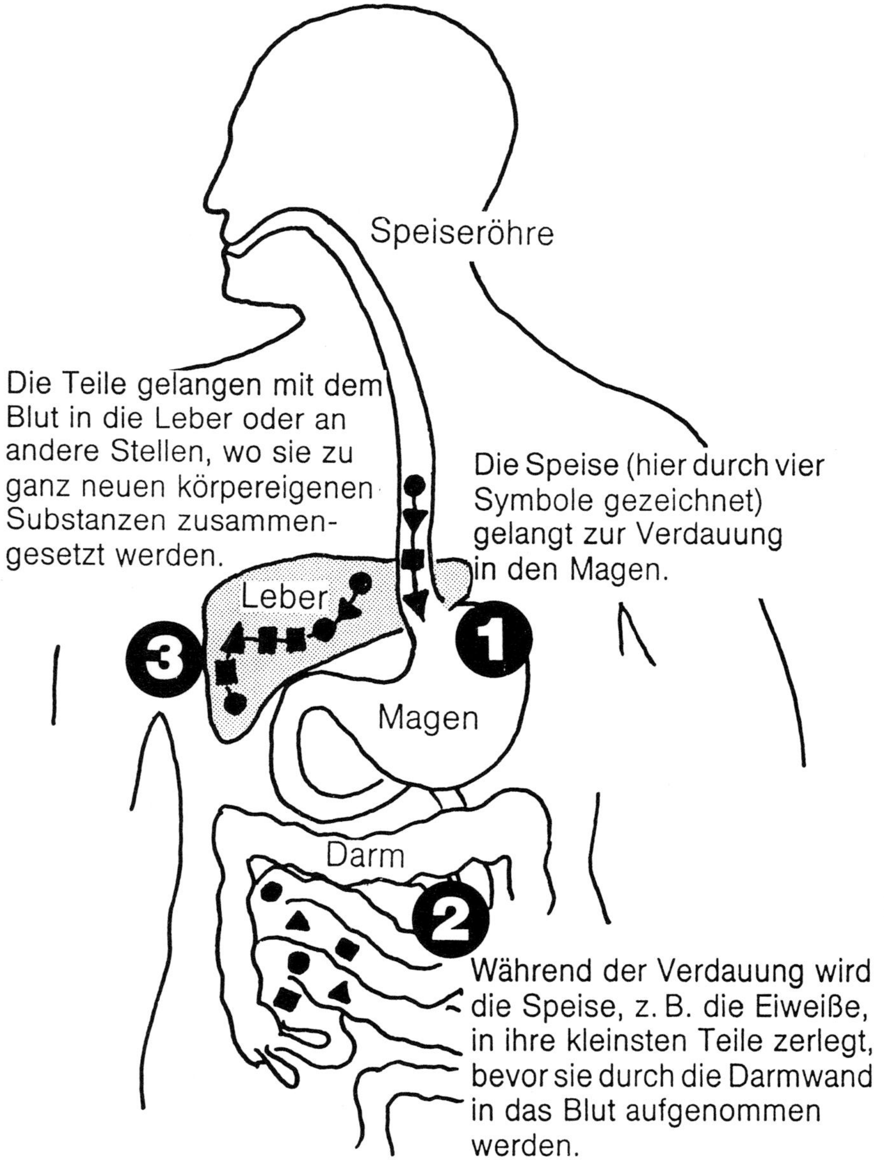

aufgespalten und in ihre kleinsten Teile zerlegt werden. Erst dann können diese einfachen Teile im Körper wieder neu aufgebaut werden. Das heißt also, die Nahrung wird durch die Verdauung im Körper verändert und in ihre Urbestandteile zerlegt. Je nach Bedarf werden die Stoffe dann wieder neu zusammengefügt. Es findet also ein Wechsel der Stoffe statt. Bei dieser Umwandlung spielen die Vitamine eine sehr wichtige Rolle."

„Sprechen deshalb die Menschen vom Stoffwechsel?" fragt Matthias neugierig.

„Ja, bei der Verdauung findet wirklich ein Stoffwechsel statt. *Die Vitamine regeln diese Vorgänge.* Vitamine sind keine direkten Nahrungsstoffe, die dir Kraft und Energie liefern, sondern sie sind Nahrungsbestandteile, die für eine richtige Umsetzung der Nahrungsstoffe in deinem Körper unentbehrlich sind.

Hast du dies jetzt verstanden?" fragt der Großvater. „Ja, aber ich möchte noch mehr davon erfahren", entgegnet Matthias wißbegierig.

„Also, unsere wichtigsten Grundnahrungsstoffe bestehen, genau wie dein Körper, aus Eiweiß, Fett, Kohlenhydraten und Wasser."

„Was sind eigentlich Kohlenhydrate? Das weiß ich nicht", unterbricht Matthias die Erklärungen seines Großvaters.

„Kohlenhydrate sind Stoffe, die vor allem von den Pflanzen produziert werden. Früher glaubte man, daß es Kohlenstoff sei, der an Wasser, das die Griechen Hydor nannten, angelagert oder gebunden sei. Deshalb nannte man sie Kohlenhydrate. Solche Stoffe, wozu auch die Zuckerstoffe zählen und auch die Fettstoffe, liefern für uns den Hauptanteil der benötigten Lebensenergie. Die Eiweiße sind vor allem Aufbaustoffe und weniger Energielieferanten."

„Das mußt du mir noch genauer erklären, ganz begriffen habe ich es nicht", bemerkt stirnrunzelnd Matthias. „Ich will es versuchen", erwidert der Großvater und führt weiter aus:
„Stell dir vor, Matthias, du verbrennst Holz oder Kohle und die Verbrennung funktioniert nicht einwandfrei, weil zu wenig Sauerstoff Zutritt hat, dann wird alles rußig und schwarz; der Ruß ist ja gefährlich. So ungefähr verhält es sich auch mit der Nahrung.

Früher hat man die Nahrungsstoffe nur nach ihrem Kraftwert oder Heizwert beurteilt und man bedachte nicht, daß es vor allem auf eine richtige Verbrennung und Auswertung der Nahrung im Körper ankommt. Es geht nun aber nicht nur darum, *daß es brennt, sondern auch vor allem darum, wie es brennt.* Es muß einwandfrei brennen. *Gerade dafür sorgen die Vitamine und Mineralstoffe.* Wenn diese nicht genügend vorhanden sind, kann es einfach nicht richtig funktionieren. Es bilden sich dann Rückstände und halbverbrannte schädliche Reststoffe. Daraus können sich später Stoffwechselstörungen und Krankheiten ergeben.

Aus diesem Grunde denkt man heute etwas anders über den Vollwert der Nahrung. Also paß auf, Matthias, und merke dir das eine: Für die Verdauung der Nahrung und besonders auch des

Zuckers braucht der Körper unbedingt verschiedene Vitamine und Mineralstoffe; unter anderem auch Kalk."

„Nennt man dann solch eine Nahrung, wenn sie diese Stoffe enthält, Vollwertnahrung?" wirft Matthias dazwischen.
„Ja, Matthias, das hast du jetzt richtig verstanden. So siehst du, wie notwendig die Vitamine und die Mineralstoffe sind. Sie können im menschlichen Körper allerdings nicht selbst aufgebaut werden. Sie befinden sich in den Pflanzen, die wir durch die Nahrung aufnehmen sollen; deshalb ist Pflanzennahrung für uns so wertvoll."

„Das ist ja sehr interessant", ruft Matthias mit einem Seufzer der Erleichterung aus.
„Ich verstehe jetzt auch, warum es so wichtig ist, Frischkost, das heißt ungekochte Nahrung, also Salate, rohes Gemüse, Obst usw., zu essen. *Frischkost ist also Vitaminkost.*"

„Das hast du gut begriffen, Matthias", lobt der Großvater. Da fällt ihm aber auch Matthias schon ins Wort.

„Was mich aber jetzt ganz besonders interessiert, ist die Geschichte vom Zuckerkönig Glukorich. Kannst Du sie mir noch einmal in allen Einzelheiten erzählen?"

Der alte Schäfer holt tief Luft. Matthias sitzt andächtig neben ihm und wartet gespannt auf die geheimnisvolle Geschichte.

Die Geschichte vom Zuckerkönig Glukorich

„Ja, Matthias, die Geschichte vom Zuckerkönig Glukorich ist für uns wohl eine der interessantesten und wichtigsten Geschichten. Ohne die Lebensformel und das Patentrezept des Zuckerkönigs Glukorich könnten wir gar nicht existieren und uns auch heute nicht unterhalten. Alles, was du hier siehst, alles, was uns umgibt, alles Leben von Pflanzen, Tieren und Menschen *verdanken wir der großen Umwandlungskunst der Natur, die uns die Stoffe bietet, die wir in Energie und Kraft umsetzen können, um dadurch zu leben.*

Der Zuckerkönig Glukorich ist schon sehr, sehr alt; niemand weiß genau, wie alt er ist. Einst wurde er aus dem Licht heraus geboren. Durch das Licht der Sonne kam er auf die Erde und hier begann er, etwas ganz Außergewöhnliches zu tun. Er förderte das Leben und er schuf durch seine Umwandlungskunst zugleich auch den Sauerstoff, den wir alle zum Atmen brauchen."

„Aber wie hat er das gemacht?" fragt Matthias.
„Das ist sein großes Geheimrezept, das wir bis heute noch nicht ganz genau kennen", erzählt der Großvater weiter. „Er hat uns noch nicht alles verraten. Aber vieles von seinem Lebens- und Energieumwandlungsrezept kennen wir bereits.

Du weißt, Matthias, jedes Lebewesen, auch das allerkleinste, verbraucht, um am Leben zu bleiben, ständig Energie. Wenn sich ein Auto bewegen soll, muß der Motor laufen und dieser verbraucht Betriebsstoff, der im Motor verbrannt bzw. vergast und in Energie umgesetzt wird.

Wenn du einmal ganz ruhig bist, dann fühlst du, daß dein Herz, nennen wir es den Motor deines Körpers, ständig arbeitet und klopft und deshalb auch Energie verbraucht. Selbst wenn du 24 Stunden in vollständiger Ruhe bleiben würdest, so bräuchtest du doch für die Erhaltung deines Lebens Energie. Aber wo kommt die Energie her, was glaubst du?"
„Ich denke von der Nahrung, die ich esse", unterbricht Matthias.
„Natürlich von der Nahrung, die du zu dir nimmst und von der Atmung", fährt der Großvater fort, „aber in der Nahrung muß die Energie stecken, die du benötigst.

Du verstehst also jetzt, daß es kein Leben ohne Energie gibt. Deshalb mußte König Glukorich Energie und auch Energievorräte schaffen, um das Leben zu ermöglichen und zu erhalten. Er hat mit dem Feuer des Himmels, also der Energie der Sonne, mit einem Gas der Luft, das man Kohlendioxid nennt, und dem Wasser der Erde eine Energieproduktion in Gang gesetzt. Doch er benötigte dazu noch einen besonderen Stoff, das Blattgrün der Pflanzen, das Chlorophyll, das unserem Blutfarbstoff ähnelt, und Mineralien. So schuf er das, was wir als Traubenzucker oder Glukose bezeichnen. Er hat die grünen Pflanzen befähigt, richtige Energiefabriken zu werden.

Er hat also die vier Elemente – Luft, Erde, Feuer und Wasser – durch ein geheimnisvolles Verfahren, das wir heute ganz einfach Photosynthese nennen, phantastisch vereinigt. Photo bedeutet Licht und Synthese bedeutet Aufbau oder Zusammensetzung. Die Photosynthese ist also ein Vorgang, ein Meisterwerk der Schöpfung, bei dem der Zuckerkönig Glukorich die Lichtenergie der Sonne buchstäblich konserviert hat und uns diese in Form von Zucker als Energie und Kraftspender anbietet.

Doch das Hochinteressante dabei ist, daß bei diesem geheimnisvollen Verwandlungsprozeß, sozusagen als Abfallprodukt, Sauerstoff frei wird, den die Pflanzen an die Luft abgeben.

Du weißt, daß der Sauerstoff für alle irdischen Lebewesen dringend notwendig ist. Wir können keine fünf Minuten leben, ohne zu atmen. Unsere Atemluft enthält etwa ein Fünftel Sauerstoff.

Am Anfang besaß die Lufthülle der Erde überhaupt keinen Sauerstoff. Erst als der Zuckerkönig Glukorich anfing, seine Energieumwandlungskunst durch sein Geheimrezept zu praktizieren, kam langsam durch die damaligen Farn- und Schachtelhalmwälder, die heranwuchsen, immer mehr Sauerstoff und damit Lebensmöglichkeit auf die Erde. Vor vielen Millionen Jahren war die große Zeit der Farnpflanzen. Damals war der Wuchs dieser Pflanzen viel gewaltiger als heute. Farn-Bäume bildeten mit Riesenschachtelhalmen und gigantischen Bärlappgewächsen, den Siegel- und Schuppenbäumen, riesige Wälder. Es gab also so lange keinen Sauerstoff, bis die Bäume und die anderen Pflanzen ihn durch die Energieumwandlungskunst der Photosynthese erzeugten."

Die kalten Wunderküchen des Zuckerkönigs Glukorich

„Der Zuckerkönig Glukorich hat in jedem Blatt der Pflanzen und der Bäume einen fleißigen Helfer für seine Energieproduktion gefunden. Doch das Bemerkenswerte ist dies: die Blätter verwandeln die Weltall-Energie, also die kosmische Energie in Nahrungs-Energie, ohne dabei Wärme zu erzeugen. *Jedes Blatt ist also eine kalte Wunderküche für sich.* In jedem grünen Blatt liegt ein wahres Naturgeheimnis.

Auf der Blattunterseite befinden sich winzige Poren, das sind Öffnungen, die man wissenschaftlich ‚Stomata' nennt."
„Für was braucht ein Blatt solche Öffnungen?" ruft Matthias dazwischen.
„Durch diese Öffnungen, die du auch mit deinen Nasenlöchern oder den Poren deiner Haut vergleichen könntest", erklärt der Großvater weiter, „dringen Wasser und das Luftgas Kohlendioxid in das Blatt ein und Sauerstoff kann austreten. Zuerst gelangt Außenluft durch die Spaltöffnungen in den Vorraum der Blätter und von dort durch die Zellwände zu den Blattgrünkörnern. Sie vollbringen dann durch das Sonnenlicht, das durch die lichtdurchlässige Blätterhaut dringt, das Wunderwerk der Umwandlungskunst, der Photosynthese.

Bei Nacht sind die Stomata-Öffnungen geschlossen, denn ohne Lichtenergie funktioniert die kalte Küche nicht. *So verwandeln also die Pflanzen die Lichtenergie der Sonne in Nahrungs-Ener-*

Der Bau eines Blattes

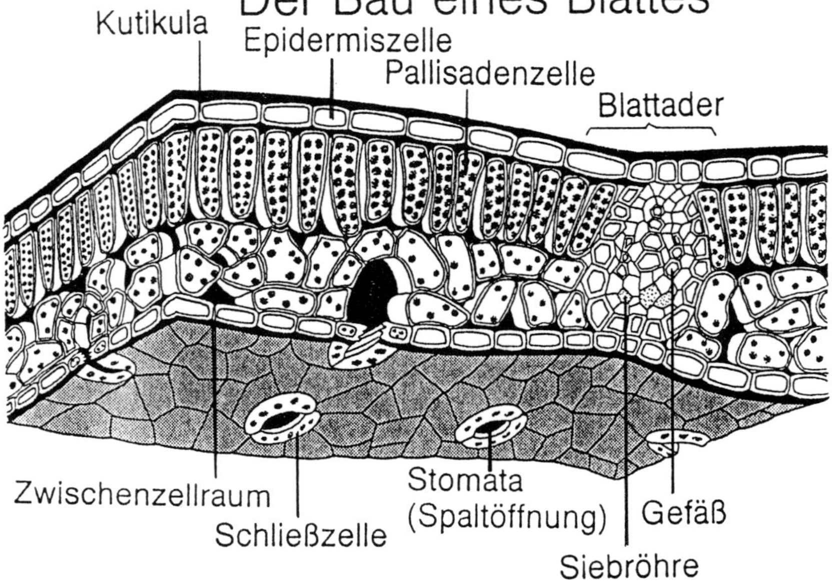

Die Photoynthese

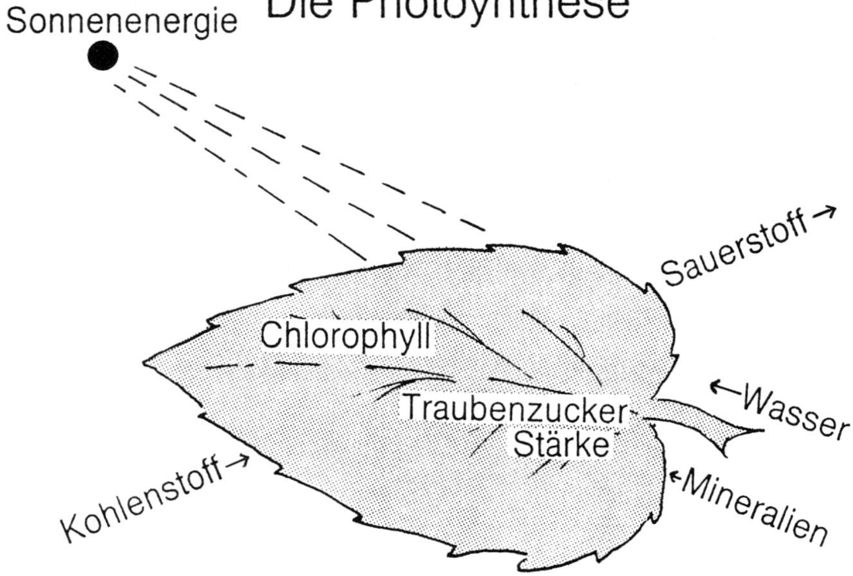

Kohlendioxid

gie. Sie verwenden dann diese Energie, um die Stoffe zusammenzustellen, die wir brauchen, um am Leben zu bleiben."

„Das ist ja wirklich ein Wunderwerk, was in den kalten Küchen hergestellt wird!" mischt sich Matthias schnell ein.
„Ja, Matthias" ergänzt der Großvater, „in den kalten Küchen des Zuckerkönigs Glukorich werden natürlich vielfältige Produkte hergestellt, wie die verschiedensten Obstarten und Obstsorten, Gemüse, Kartoffeln, Salate, Vollkornprodukte usw. . . . Dabei werden – zusammen mit dem Zucker – auch Eiweißstoffe und wertvolle Lebensstoffe in natürlicher Verbindung aufgebaut.

Wir essen dann die Früchte, Gemüse, Salate mit dem darin eingeschlossenen Zucker und den beigepackten Vitaminen, die die Pflanzen gebildet haben, und atmen den Sauerstoff ein, den sie in die Luft abgegeben haben."

„Und wie bekommen wir die Lebensenergie?" fragt Matthias. Darauf antwortet der Großvater:
„Wie ich dir am Anfang gesagt habe, muß die Nahrung, die wir essen, im Körper abgebaut und verarbeitet werden. So wird im Körper die Energie frei, die die Pflanzen als Sonnenlicht aufgenommen haben. Dieser Umkehrprozeß, also diese kalte Verbrennung, nennen wir Zellatmung. Bei dieser Zellatmung wird dann von uns und von den Tieren, die die Nahrung zu sich nehmen, sozusagen als Abfallprodukt, ein Gas, nämlich Kohlendioxid und Wasser frei. Die Atmung ist gewissermaßen die Umkehrung der Photosynthese. Damit ist der Kreislauf wieder geschlossen.

Die grünen Pflanzen liefern, als Abfallprodukt für alle Lebewesen, zum Atmen den Sauerstoff. Die Lebewesen atmen als Abfallprodukt Kohlendioxid aus, das die grünen Pflanzen wieder benötigen. Das ist der große Kreislauf des Lebens auf der Erde; was der eine abgibt, dient dem anderen, und was beim anderen abfällt, wird wieder neu verwertet. Durch diesen Kreislauf wird immer wieder alles erneuert. Das ist vollkommenste Naturtechnik."

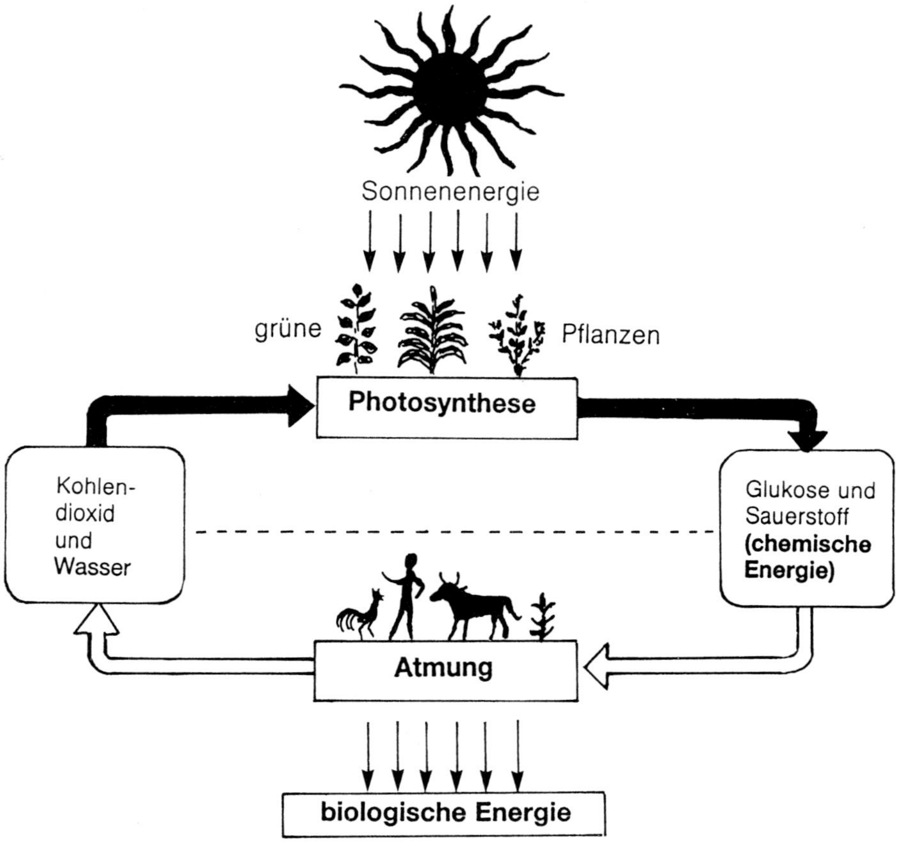

Zuckerkönig Glukorich, der perfekte Umwandlungskünstler

„Sicher verstehst du jetzt, Matthias, daß der Aufbau der Nahrungsmittel, also der Kohlenhydrate, der Eiweiße und der Fette, mit der eingeschlossenen Lebensenergie ein ganzes Meisterwerk ist, an dem viele Stoffe mitbeteiligt sind. Ebenso ist auch der Abbau dieser Energie in unserem Körper ein Wunderwerk, bei dem wiederum viele Stoffe mitwirken müssen, damit es gelingt. Die Vorgänge, die sich da abspielen, sind natürlich sehr kompliziert. Der Zuckerkönig Glukorich ist ein perfekter Umwandlungskünstler.

Das aber wissen wir: beim Abbau des Zuckers im Körper sind mindestens fünf verschiedene Vitamine beteiligt. Deshalb gibt die Natur den Kohlenhydraten die für ihre Verarbeitung nötigen Funktionsstoffe, wie Vitamine und Mineralien, gleich mit auf den Weg."

„Großvater, so wie ich das verstehe, *liefert also die Natur nicht nur den Zucker, sondern auch die zur Verdauung notwendigen Lebensstoffe gleich mit.*" Ganz begeistert über seine neugewonnenen biologischen Erkenntnisse lächelt Matthias seinem Großvater zu.

Der Großvater nickt und schaut fürsorglich über seine Schafherde. Da alle Tiere friedlich grasen, setzt er seine Betrachtung fort.
„Ja, Matthias, die naturbelassenen Kohlenhydratspender wie

Kartoffel, Getreidekörner, Vollkornbrot, Obst usw. enthalten die für die Verdauung notwendigen Vitamine und den nötigen Kalk, so daß der Körper gut funktionieren kann.
Der Zucker ist also in natürlichen Lebensmitteln als Teilbestand in ein Ganzes harmonisch eingebettet. Deshalb sollte eigentlich der Zucker auch nur so mit den ganzen Früchten genossen werden oder er sollte durch Einwirkung der Verdauungssäfte im Körper aus Stärke gebildet werden.

So hat der Zuckerkönig Glukorich alles bestens eingerichtet, damit unsere Nahrung alle ‚Betriebsstoffe' für unseren Körper liefert, alle notwendigen Nährstoffe, die wir zum Leben, zum Wachsen, zum Denken und zum Wohlfühlen benötigen. Auf diese Weise können wir unsere Gesundheit und unsere Lebensenergie erhalten."
„Aber wer kommt denn da?" unterbricht ihn Matthias. „Ich sehe dort auf dem Weg Julia. Das ist ja wunderbar. Dann brauche ich ihr nicht mehr alles zu erklären, dann kann sie ja selbst auch alles mithören."

Matthias läuft ihr entgegen und begrüßt sie. Julia ist sehr froh, daß ihr Matthias nichts nachträgt.
„Matthias, ich wollte dich besuchen und mich bei dir entschuldigen, daß ich auf der Bank so abweisend zu dir war. Deine Eltern sagten mir dann, daß du bei deinem Großvater auf der Weide bist. Da habe ich mich entschlossen, auch hierher zu kommen."

Nun begrüßt Julia auch den alten Schäfer und streichelt behutsam seinen Hund. Der Großvater erklärt ihr, daß er gerade dabei ist, Matthias die Geschichte vom Zuckerkönig Glukorich zu erzählen.
„Das interessiert mich auch, ich habe schon von Matthias etwas davon erfahren."
Erwartungsvoll setzt sich Julia neben Matthias.

Zuckerfabriken produzieren ihren eigenen Zucker

„Nun, ihr beiden", fährt der Großvater fort, „jetzt kommen wir noch zu einem ganz wichtigen Kapitel unserer Geschichte. Überall in der Natur erkennen wir also Kreisläufe. Ohne diese Kreisläufe könnte die Natur nicht funktionieren. Wie ihr seht, wird auch der Abfall innerhalb dieser Kreisläufe so phantastisch umgewandelt, daß er wieder zur Grundlage neuen Lebens wird. Die von der Natur erzeugten Produkte, wie zum Beispiel die Trauben, die einen hohen Zuckergehalt aufweisen, wenn sie reif sind, gehen schnell in Gärung über und verderben. Auf diese Weise sind sie in den Naturkreislauf eingeschlossen.

Um die Gärung zu verhindern, haben die Menschen versucht, den Zucker aus der Naturzusammensetzung herauszuziehen, um ihn für sich zu haben und ihn dadurch haltbar zu machen.

Der Chemiker A.S. Marggraf entdeckte 1747, daß man aus Zuckerrüben Zucker herstellen kann. Schon 1801 wurde die erste Zuckerfabrik in Schlesien gegründet.

Die Zuckerfabrikanten glauben, den Zuckerkönig Glukorich überlisten zu können und entwickeln ihr eigenes Zuckerprogramm scheinbar mit ganz großem Erfolg. Sie gewinnen ihren Zucker aus Zuckerrüben oder aus dem Zuckerrohr.

„Wie machen sie das?“ fragt Julia, aufs höchste interessiert.
„Das geht so“, antwortet der Großvater, „sie zerkleinern die Rüben und laugen sie mit heißem Wasser aus (Zuckerrohr wird gepreßt), bis der Rohsaft austritt. Dieser Rohsaft enthält natürlich neben 13–15 Prozent Zucker noch viele Mineralsalze, Säuren, Eiweißstoffe und vieles mehr. Die Vitamine sind zum größten Teil schon zerstört. Ihr seht also, daß der lebendige Zucker immer eine Kombination mit Natur- und Lebensstoffen ist. *Diese Stoffe, die ja eigentlich von der Natur mitgegeben und zum Abbau des Zuckers in unserem Körper notwendig sind, werden jetzt entfernt* und dann als Viehfutter oder Dünger verwendet.

Der Zucker-Klarsaft wird mit chemischen Stoffen neutralisiert, gebleicht, filtriert und zu Dicksaft eingedampft, bis sich ein Teil der Zuckermasse abscheidet. Es folgen noch mehrere Reinigungsverfahren, bis die weißen Zuckerkristalle dann als Endprodukt herauskommen (daneben fällt noch brauner Sirup, die Melasse, an).“

„Das ist doch gut, das ist ja phantastisch, diesen Zucker liebe ich“, freut sich Julia.
„Nein, Julia“, erwidert der alte Schäfer, „das ist nicht so phantastisch. Durch diesen Prozeß und auf diese Weise ergibt sich ein total verändertes Erzeugnis. Es ist nichts Natürliches mehr. Ich denke, ihr beide habt doch verstanden, was ich euch gesagt habe. Gerade die Stoffe, die die Natur dem lebendigen Zucker mitgegeben hat, werden durch die Industrie entfernt. Dadurch wird der Zucker aus der ursprünglich notwendigen Zusammensetzung herausgelöst. *Er wird zu einem toten Zucker,* den man

fast unbegrenzt aufheben kann, ohne daß er schlecht wird. Der so gewonnene, gereinigte Zucker, ob weiß oder braun, besitzt nicht einmal mehr Spuren von Lebensstoffen, weder Kalk noch Eisen. Dies gilt auch für den sogenannten Traubenzucker, den man kaufen kann."

„Und wie ist es beim weißen Mehl?" fragt Julia.
Der Großvater überlegt ein wenig und fährt nach einer kleinen Pause fort:
„Ähnlich wie beim Fabrikzucker verhält es sich leider auch beim ‚weißen' Mehl. Seit 100 Jahren entfernt man vor dem Mahlen des Getreides die Randschichten und den Keim, da der Fettanteil des Getreidekeims ranzig wird und das Mehl dadurch nicht haltbar und lagerfähig bleibt. Aber gerade in den Randschichten und im Getreidekeim befinden sich die wasser- und fettlöslichen Vitamine, ferner noch Mineral- und Lebensstoffe.

Julia und Matthias, jetzt versteht ihr, daß die Gefährlichkeit des Fabrikzuckers und des weißen Mehls nicht nur darin besteht, daß sie selbst frei sind von allen Lebensstoffen und eurem Körper keine Vitalstoffe zuführen, sondern sie stehlen in eurem Körper die für ihre Verdauung dringend notwendigen Vitamine und auch Kalk. Das heißt, sie reißen diese Stoffe an sich, damit der Zucker in eurem Körper überhaupt erst abgebaut werden kann."

„Wenn ich aber fleißig meine Zähne putze und regelmäßig zum Zahnarzt gehe, kann das Süße mir doch nicht schaden“, unterbricht Julia den Großvater. „Ich habe dies schon öfters gelesen.“

Der Großvater nickt verständnisvoll mit dem Kopf und fährt fort: „Natürlich Julia, das Zähneputzen ist ganz, ganz wichtig. Immer nach dem Essen von Süßigkeiten bildet sich auf deinen Zähnen ein Belag aus Bakterien und Zucker. Die Bakterien bauen den Zucker ab, indem sie aus dem Zucker Säuren bilden. Diese Säuren lösen Mineralsalze aus deinem Zahnschmelz. Es können Bakterien in den Zahn eindringen, je nachdem, wie die Säuren gewirkt haben, und es entsteht Karies. Durch sorgfältige Zahnpflege kannst du dies bestimmt verhindern.

Aber der industrielle Zucker wirkt nicht nur von außen, sondern auch von innen, also über den Stoffwechsel auf deine Zähne ein und kann nicht nur deine Zähne zerstören, sondern auch deine Knochen. Doch darüber sprechen wir später noch ausführlich.“

Die Gesundheitsräuber sind am Werk

„Nehmen wir an, ihr eßt eine Kartoffel, dann geht der Umwandlungsprozeß der Stärke, die in der Kartoffel enthalten ist, in Zukker und der Übertritt des Zuckers in den Blutstrom ganz langsam und ganz allmählich vor sich. Auch wenn ihr einen Apfel eßt, dann habt ihr etwa die Menge eines Teelöffels Zucker eurem Körper zugeführt. Wenn ihr euch vorstellt, daß ihr drei Äpfel hintereinander eßt, dann habt ihr sicher genug. Dann habt ihr etwa zehn Gramm Zucker aufgenommen, aber gleichzeitig mit ihnen auch viele Vitamine und Lebensstoffe zum Abbau des Zuckers und der normalen Verdauung in eurem Körper.

Wenn ihr jedoch toten Zucker eßt – der natürlich ein schnell wirkender Kraftspender ist – dann verläuft der Abbauprozeß rasch und unvollständig. *Euer Blutzuckerspiegel steigt rasch an, aber bald sinkt er wieder schnell ab.“*
„Halt, Großvater, das mußt du uns noch genauer erklären. Was ist der Blutzuckerspiegel?“ will Matthias unbedingt wissen.

Der Großvater fährt fort: „In eurem Blut befindet sich immer gelöster Zucker, etwa ein Gramm je Liter Blut. Dieser Zucker dient den Organen als Betriebsstoff und wird von ihnen aus dem Blutkreislauf je nach Bedarf entnommen, deshalb spricht man vom Blutzuckerspiegel. Das Blut holt sich seinen jeweiligen Bedarf aus den Zuckervorräten der Leber.

Die Doppelrolle der Bauchspeicheldrüse

Nach außen gibt die Bauchspeicheldrüse in den Zwölffingerdarm täglich etwa $^3/_4$ Liter Bauchspeichel ab zur Verdauung von Fett, Eiweiß und Kohlenhydraten.

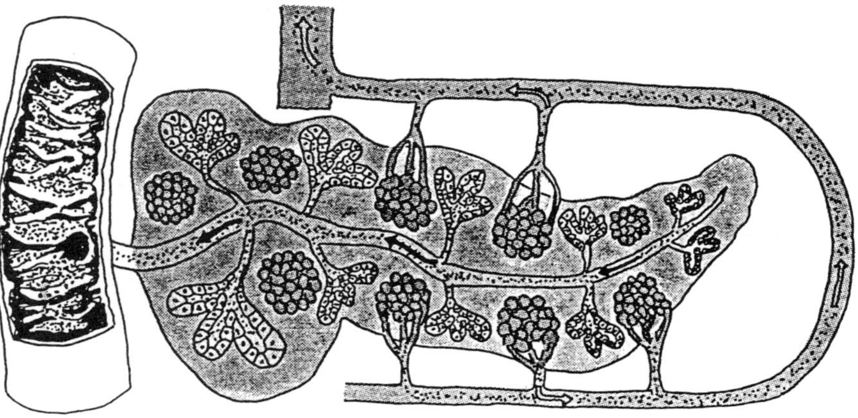

Nach innen bauen die „Inseln“ der Bauchspeicheldrüse das Hormon „Insulin auf, das direkt ins Blut abgegeben wird.

Wenn ihr gegessen habt, steigt natürlich die Blutzuckermenge an. Dann sondert eure Bauchspeicheldrüse ein Hormon ab, das wir Insulin nennen. Dieses Hormon ist ganz wichtig für den Abbau der Kohlenhydrate und damit auch für den Abbau des Zukkers. Es senkt den Blutzuckergehalt eures Blutes; dadurch kann euer Körper den Blutzuckerspiegel normal aufrecht erhalten. Das ist lebensnotwendig. Wenn der Zucker im Blut sehr ansteigen oder rapide sinken würde, wäre es verhängnisvoll für den ganzen Körper."

„Was ist eigentlich die Bauchspeicheldrüse?" will Julia wissen. Der Großvater wendet sich ihr zu und erklärt ihr:
„Die Bauchspeicheldrüse, die in deinem Oberbauch liegt, ist etwa 14 Zentimeter lang. Sie spielt eine ganz entscheidende Rolle in der Verdauung von Fett, Eiweiß und Kohlenhydraten. Sie gibt einerseits den Bauchspeichel in den Zwölffingerdarm zur Verdauung von Fett und Eiweiß und andererseits gibt sie das wichtige Hormon Insulin für den Zuckerstoffwechsel ins Blut. Die Stoffe, die die Drüsen, zu denen auch die Bauchspeicheldrüse gehört, ins Blut abgeben, nennt man Hormone.

Jedesmal, wenn ihr also ein kohlenhydrathaltiges Lebensmittel verzehrt, bewirkt dies einen normalen Reiz eurer Bauchspeicheldrüse. Es kommt zu einer Ausschüttung von Insulin in eure Blutbahn. Durch Genuß von totem Fabrikzucker aber gibt es eine wesentlich höhere Reizung eurer Bauchspeicheldrüse und damit eine vermehrte Ausschüttung von Insulin in euer Blut. Eure Bauchspeicheldrüse wird sehr belastet, so stark, wie es eigentlich von Natur aus nicht vorgesehen ist. Ihr wißt ja, was Streß ist und welche Belastung er für den Körper bedeutet."

„Streß soll doch gesund sein", wirft Julia vorlaut ein. „Ja, Julia, etwas Streß ist gut", meint der Großvater, „aber nicht der Dauerstreß.

Durch den weißen Zucker haben wir es aber mit einer Dauerstreßbelastung zu tun. Der tote Zucker ist ein immer wiederkehrender Streß für eure Bauchspeicheldrüse und nach einigen Jahren dieser enormen Streßbelastung – meist dauert es 20 Jahre und mehr – kann es dann zur Erschöpfung der Bauchspeicheldrüse kommen; sie kann dann einfach nicht mehr funktionieren. Die Folge ist die Zuckerkrankheit. Gerade weil es so lange dauert, denkt man nicht mehr an die Ursachen der Zuckerkrankheit. Heute haben wir in Deutschland etwa vier Millionen Zuckerkranke. Bis zum Jahre 2000 soll jeder 12. Deutsche zukkerkrank sein. Bei ihnen produziert also die Bauchspeicheldrüse entweder zu wenig oder gar kein Insulin mehr. Dann muß das Insulin von außen zugeführt werden, es muß also in die Blutbahn eingespritzt werden.

Ihr habt sicher schon gemerkt, daß ihr nach dem Genuß von isolierten Kohlenhydraten müde geworden seid, dann habt ihr von neuem wieder Verlangen nach Süßigkeiten. So könnt ihr ganz schnell zuckersüchtig, schokoladensüchtig, bonbonsüchtig und kuchensüchtig werden.

Das ist das Verhängnisvolle beim toten Zucker. Er ist nicht nur ein Nahrungsmittel, sondern zugleich auch ein Genußmittel. Durch ihn werden leider viele Nahrungsmittel – durch künstliche Süßung – zu Genußmitteln. Bei ihnen verliert man leicht das gesunde Maß beim Essen.

Das ist gar nicht so harmlos, wie es aussieht. Der tote Zucker, der ja, wie ihr bereits erfahren habt, total von allen Vitaminen und Mineralstoffen befreit wurde, ist zwar sehr energiereich, aber total arm an Lebensstoffen und raubt dem Körper dann Vitamine und Kalk. Er wird also zu einem gefährlichen Kalk- und Vitaminräuber und damit in der Folge zu einem Gesundheitsräuber. Wo soll euer Körper die nötigen Vitamine hernehmen? Vitamin-Mangel kann viele Krankheiten erzeugen.

Es kann sogar zu einer Kettenreaktion im gesamten Stoffwechsel kommen, also auch im Fett- und Eiweißstoffwechsel. Doch das Zuckerproblem des toten Zuckers ist nicht nur allein ein Vitaminproblem, sondern auch ein Kalkproblem."

„Das mußt du uns noch genauer erklären. Was hat Zucker jetzt auch noch mit Kalk zu tun?" fragt ganz erschüttert Matthias.
Geduldig fährt der Großvater fort:
„Zucker erzeugt Säure in eurem Körper. Um die Säure zu neutralisieren, braucht der Körper zum Beispiel Kalk. Findet der Zuckerabbau nicht den gewünschten Kalk, *der von der Natur sonst normal mit der Nahrung mitgeliefert wird,* dann greift er die Kalkreserven des Körpers an, also die Zähne und das Knochengerüst. Dadurch kann es ganz schnell zu Zahnschäden kommen

und später zu Gelenk- und Bandscheibenschäden und zu Knochenschwund."

„Sind das nicht nur Behauptungen? Kann man das beweisen?" fragt Julia wißbegierig.
Der Großvater überlegt und sagt ganz ruhig:
„Der bekannte Arzt Dr. Bruker berichtet, daß man in Japan Kaninchen längere Zeit mit einem Zuckerzusatz gefüttert hat. Dies führte nach 146 Tagen zu schweren, krankhaften Veränderungen des ganzen Knochensystems in Form von Erweichungen, Verbiegungen, Knickungen und Brüchen. Man hat ausgerechnet, daß Kinder von 5 bis 6 Jahren täglich nur etwa 6 Gramm Zucker ohne Schädigung vertragen können. Heute gibt es Kinder, die bis zu 200 Gramm Zucker täglich verzehren. Dabei müßt ihr bedenken, daß Gebäck, Kuchen, Nachspeisen, Eis, Schokolade und auch Limonade mit isoliertem, totem Zucker gesüßt werden.

Deshalb hat Zuckerkönig Glukorich sich entschlossen, einen Aufruf an euch junge Leute zu richten und euch über das Zukkerproblem ausführlich aufzuklären."

„Und wie lautet der Aufruf des Zuckerkönigs?" fragt Matthias.
„Mich interessiert der Aufruf auch", ergänzt Julia.

Der Großvater zieht einen alten Zettel aus seiner Tasche und beginnt bedächtig und langsam zu lesen.

Der Aufruf des Zuckerkönigs Glukorich

Hallo, ihr jungen Leute!

Als ältester Naturarchitekt und Generalbevollmächtigter für Naturgesundheit wende ich mich heute an euch. Es geht um eure Zukunft und um euer Leben. Seit Anbeginn der Schöpfung bemühe ich mich, in einem biologischen Verfahren, der Photosynthese, geeignete Nahrung für Pflanzen, Tiere und Menschen bereitzustellen und auch den dazu notwendigen Sauerstoff zu liefern. Ich habe alles in den großen Kreisläufen der Natur so eingerichtet, *daß selbst die Abfälle der einen wieder als Grundlage des Lebens für die anderen dienen.* Auf diese Weise konnten sich die Lebenskreisläufe über Tausende von Jahren erhalten.

Nun hat die Intelligenz der Menschen, vermischt mit ihrem Egoismus, eine unnatürliche Technik entwickelt, die diese Kreisläufe stört und dadurch sich und die ganze Mitwelt gefährdet.

Daß die Luft, das Wasser und der Boden mit schädlichen Stoffen belastet sind, weiß heute jeder. Mit diesen Belastungen muß auch euer Körper fertig werden. Nun kommt aber noch eine weitere Belastung hinzu, die zu steuern und zu regulieren ihr selber in der Hand habt. Darauf möchte ich euch jetzt aufmerksam machen. *Es geht um eure Ernährung.*

Im Obst, im Gemüse, in Kartoffeln, in Wurzelpflanzen und Vollkornprodukten stehen euch reichlich gesunde Nahrungsstoffe zur Verfügung. In ihnen ist der Zucker als Teil in ein natürliches Ganzes harmonisch eingebettet. Eigentlich sollte der Zucker nur in dieser Form zusammen mit den Früchten gegessen werden.

Seit längerer Zeit ist es der Industrie gelungen, Zucker in reiner Form herzustellen. Dadurch wird er aber aus dem natürlichen Zusammenhalt herausgelöst und zu einem toten Kohlenhydrat verändert. Da die Verdauung von Zucker ohne Vorhandensein von verschiedenen Vitaminen, Mineralien und Kalk nicht möglich ist, *reißt dieser tote Zucker in eurem Körper Vitamine und Kalk an sich* und schafft dadurch eine ganz gefährliche Situation. Euer im Aufbau befindlicher Organismus reagiert verständlicherweise auf Vitalstoffmangel empfindlicher als der fertige Organismus der Erwachsenen.

Nur wenn ihr von früher Jugend an den für euch so gefährlichen Zuckerkonsum richtig steuert, dann könnt ihr den verschiedenen Krankheiten, die im Alter auftreten und als Alterskrankheiten bezeichnet werden, aber in Wahrheit Fehlernährungskrankheiten, also Zivilisationskrankheiten sind, entgehen. Als Vitamin- und Kalkräuber kann toter Zucker bei euch in erster Linie zu Zahnschäden, Stoffwechselstörungen, Augenschäden, Verdauungsstörungen, Knochen- und Bandscheibenschäden, Fettsucht und Zuckerkrankheit und später zum Herzinfarkt führen. Fehler in der Ernährung, die ihr in der Jugend begeht, zeigen sich zuweilen schon bald oder dann beim Älterwerden.

Natürlich verschärft eine Vermischung von Zucker und Weißmehl noch die Gefahr, *da Weißmehl auch ein totes Kohlenhydrat ist.* Wenn ihr schon einmal toten Zucker genießt, dann solltet ihr ihn während der Mahlzeiten nehmen. Auf alle Fälle braucht er wegen der benötigten Vitamine einen Ausgleich durch Frischgemüse, Salate, Obst und Getreide. An sich bekommt ihr schon durch eure tägliche Nahrung, wenn sie keine Vollwertnahrung ist, in der Regel zu wenig Vitamine. Tragisch wirkt sich dann der zusätzliche Genuß von den Vitamin-Räubern, Zucker und Mehl, aus. Vergeßt bitte nicht, daß euer Körper überschüssigen Zucker in Fett umwandelt. So könnt ihr vom vielen toten Zucker nicht nur krank, sondern außerdem auch noch dick werden.

Der tote, weiße Zucker ist also nicht so harmlos, wie er aussieht. Er ist so gefährlich wie Alkohol und Nikotin. Bei diesen beiden wißt ihr, daß sie Suchtmittel sind, doch beim toten Zucker vermutet man dies nicht. Und es gibt so viele Möglichkeiten, den toten Zucker in Limonaden, Eis, Kuchen, Süßspeisen und vor allem in der Schokolade, die bis zu 60 Prozent Zucker enthalten kann, zu sich zu nehmen. Sicher liebt ihr alle Schokolade, aber sie liebt euch nicht, sondern zerstört im Lauf der Zeit eure Gesundheit. *Denkt immer daran: die meisten Krankheiten entstehen durch übermäßigen Verzehr der toten Kohlenhydrate.*

Es gibt so viele natürliche und lebendige Kohlenhydrate, unsere ganze Obstpalette, darunter auch Datteln, Feigen, getrocknetes Obst, Sultaninen, Rosinen, Bananen sowie Honig und Vollkornprodukte, alle mit einem reichen Vitamin-Angebot.

Erinnert euch immer daran, was ich euch jetzt gesagt habe. Seid stark und widersteht der süßen Versuchung! Großes Verlangen nach Süßem ist bereits ein Zeichen von Vitaminmangel. Durch den Genuß von natürlichen Kohlenhydraten verschwindet dieses Verlangen ganz schnell wieder.

Ich hoffe, ihr versteht mein Anliegen und richtet euch danach. Gesundheit ist zwar nicht alles, aber alles ist nichts ohne Gesundheit!

Euer Zuckerkönig Glukorich

Der Großvater hält inne. Er spricht noch mit den beiden und macht ihnen begreiflich, daß er jetzt mit seiner Herde weiterziehen muß. Julia und Matthias bedanken sich sehr bei ihm und treten gemeinsam ihren Heimweg an.

Julia und Matthias haben verstanden

„Matthias, das war aber jetzt sehr wichtig für mich. Das habe ich alles nicht gewußt. *Wenn ich nun einmal Verlangen nach Schokolade habe, dann will ich dafür sorgen, daß mein Körper einen Ausgleich durch frische Vitamine hat.* Jedenfalls werde ich konsequent meinen Zuckerkonsum reduzieren und mehr Obst und natürliche Süßigkeiten essen. Ich möchte auf keinen Fall zuckerkrank werden. Erst kürzlich habe ich ja gelesen, daß sich die Zuckerkrankheit noch vererben kann und unschuldige Kinder dann leiden werden wegen der süßen Eßgewohnheiten der Eltern. Die ‚süße Welle' soll eigentlich erst richtig vor etwa 40 Jahren begonnen haben.

Matthias, nun müssen wir aber schnell heim und alles, was wir erfahren haben, auch unseren Eltern berichten" sagt Julia ganz erfüllt.

„Ja, Julia, das ist wichtig. Die Geschichte vom Zuckerkönig Glukorich sollten wir auch allen Kindern erzählen und sie überall verbreiten und bekanntmachen. Wenn ich nur wüßte, wie wir mit dieser Geschichte ins Radio oder gar ins Fernsehen kommen könnten. Dann würden wir viele Menschen erreichen. *Denn es ist ja notwendig für uns junge Menschen, uns gesund zu erhalten und uns nicht krank zu essen."*

„Julia", ergänzt Matthias, „ich glaube, es ist auch ganz wichtig für viele Erwachsene. Die meisten wissen nichts von den gefährlichen Vitamin- und Kalkräubern, die sie so sehr lieben. *Sie ahnen nicht, daß viele Ursachen ihrer Krankheit in der Menge der isolierten, toten Kohlenhydrate liegen, die sie mit Hochgenuß verzehren.* Ich habe die Hoffnung, daß die Zeit kommt, in der sie es begreifen werden. Wir wollen jedenfalls mit gutem Beispiel vorangehen."

„Was meinst du, Matthias, was wohl die Kinder und auch die Erwachsenen sagen, und wie sie handeln werden, wenn sie die Geschichte vom Zuckerkönig Glukorich hören und verstehen? Es ist zwar nur eine Geschichte, aber sie hält uns doch die Wahrheit vor Augen."

„Ja, Julia, ich glaube, wir müssen die Geschichte vom Zuckerkönig Glukorich immer und immer wieder lesen, bis wir bereit sind, stets auch nach diesem Wissen zu handeln", ermutigt Matthias Julia.

„Ich habe einmal gehört, Julia, daß Till Eulenspiegel, als er so etwa um das Jahr 1340 in Paris war, bei einem Streitgespräch in der Universität zu den Doktoren gesagt haben soll: ‚Ihr seid alle große Narren, weil ihr stets lernen wollt, was ihr nicht wißt, und das, was ihr wißt, das tut keiner von euch.'

Das Wissen hat doch nur einen Wert, wenn man auch danach handelt. *Also handeln wir danach."*

Im gleichen Verlag erschienen:

Dr. Sigrid Lechner-Knecht
Kommt und erlebt die Wunderwelt des Waldes

Dieses Buch gibt einen Einblick in die Zusammenhänge der Natur und in unsere gesamte Mitwelt und ist ein Brückenschlag zur Ganzheit der Schöpfung.
Im zweiten Teil des Buches sind Erlebnisse im Wald und Waldspiele, die den Kindern Spaß machen und ihre Entdeckerfreude anregen.

256 Seiten, Format 21×13,5 cm, 58 Abb. und Grafiken, brosch.
ISBN 3-924191-37-9

Inge Wellenstein
30 sonnenfrohe Kinderlieder

Für alle Kinder, die gern singen, ist dieses Liederbuch gedacht.
Diese Lieder besingen Blumen, denen wir im Jahreslauf begegnen und kleine Tiere, die wir finden und bewundern können. Dabei lernen die Kinder singend und wandernd die Natur in ihrem eigenen Umkreis kennen.

48 Seiten, Format 21,5 × 20,5 cm, 11 Farbfotos
ISBN 3-924191-41-7

G. A. Ulmer
Unser Wald darf nicht sterben

Der Bildband informiert über den Wald und über alle bekannten und noch wenig bekannten wichtigen Einzelheiten zum Thema „Waldsterben".

96 Seiten, brosch., 50 großform. Farbaufnahmen, 11 Grafiken
ISBN 3-924191-01-8

G. A. Ulmer
Blütenzauber aus Feld und Wald

Vom Frühling bis zum Herbst schenken uns Feld und Wald stets neue Blumenwunder.
Der kleine Bildband will dazu beitragen, die Achtung und die Liebe zu den Kostbarkeiten in Feld und Wald zu vertiefen.

48 Seiten, Format 14,5×16 cm, geb., 22 Farbaufnahmen
ISBN 3-924191-36-0

G. A. Ulmer Verlag · Postfach 40 · 7201 Tuningen